清康熙十八年本

芥子園畫譜

第一集 卷四 金陵沈心友刊

山水中點景人物諸式不可太工亦不可太無勢全要與山水有顧盼人似看山山亦似俯而看人琴須聽月月亦似靜而聽琴方使觀者有恨不躍入其內與畫中人爭坐位不爾則山自山人自人豨不如覩幻畫空山無人之爲妙矣畫山水中人物須清如鶴望如仙不可帶半點市井氣致爲烟霞之玷今將行立坐卧觀聽侍從諸式略舉一二并各標唐宋詩句於上以見山水中之畫人物猶作文之點題一幅之題全從人身上起古人之畫類有題㒸然所標之詩句亦不可泥某式定寫某句不過偶一舉之以待學者觸類旁通耳

閒賞步易遠
野吟聲自高

爐薰袖手不知寒

秋山負手行

獨立蒼茫自咏詩

明月荷鋤歸

採菊東籬下
悠然見南山

看山詩就旋題壁

偶然值隣叟談笑無還期

撫孤松而盤桓

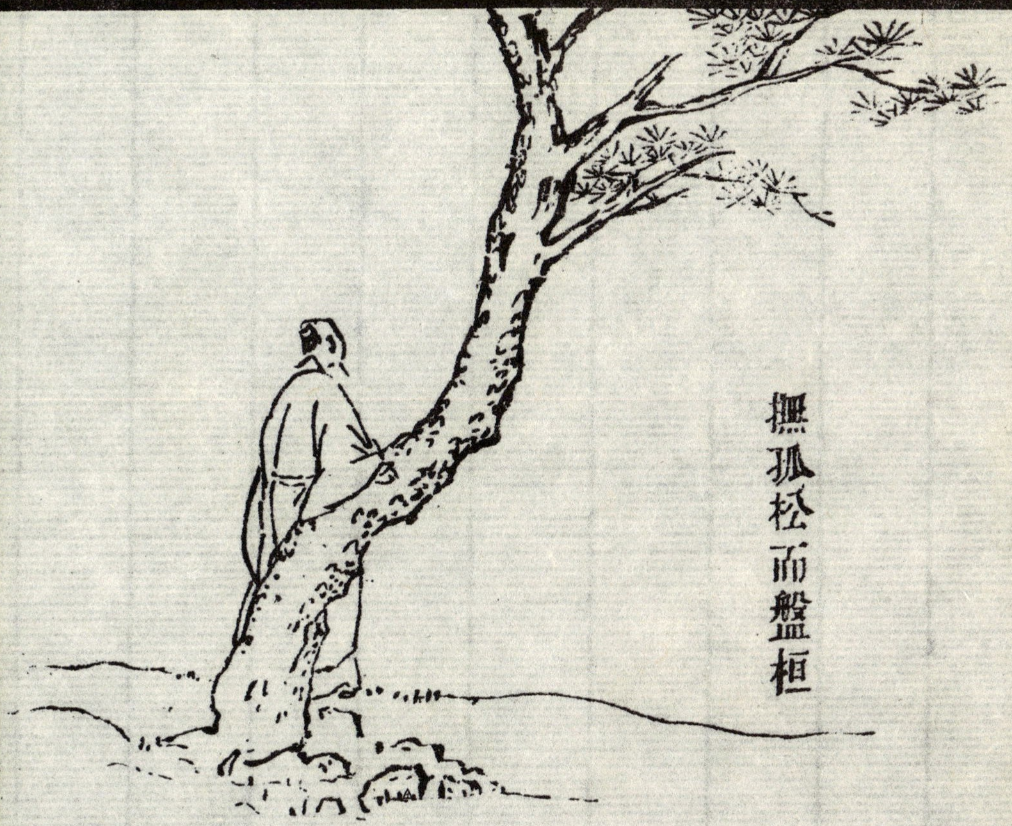

倚杖聽鳴泉

携錢過野橋

指點寒鴉上翠微

藜杖全吾道

閒看入竹路自有向山心

高雲共片心

臥觀山海經

展席俯長流

雲臥衣裳冷

行到水窮處坐看雲起時

拂石待煎茶

二人對酌山花開

時還讀我書

今日天氣佳清吹與彈琴

奇文共欣賞

芥子園畫譜
卷四

棋聲消永晝

晴牕檢點白雲篇

山澗清且淺遇以濯吾足

坐開桑落酒來把菊花枝

寂坐正吟詩

一卷冰雪文避俗常自携

勝事日相對主人嘗獨閒

擔柴式

釣魚式

歸漁式

春耕式

蕩槳式

持篙式

搖櫓式

撐篙式

濯足萬里流

江湖滿地一漁翁

湖光上綠蓑

有蛟寒可罾

詩思在灞橋驢子背上

征馬望春草
行人看暮雲

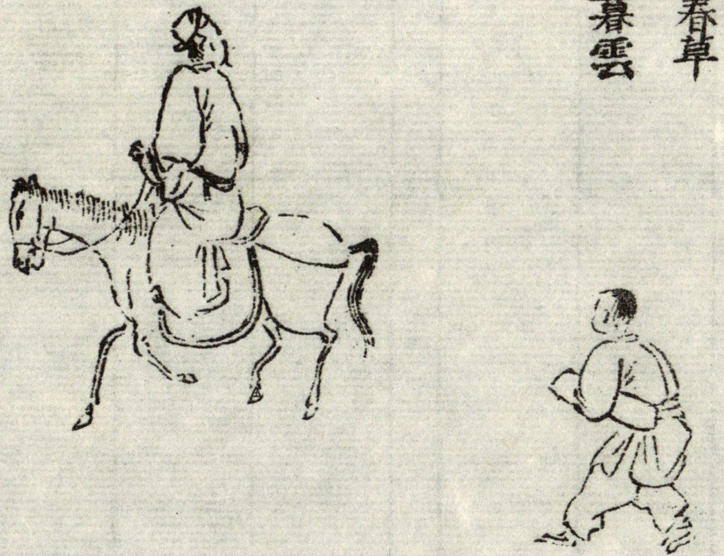

春郊見駱駝

花間吹笛牧童過

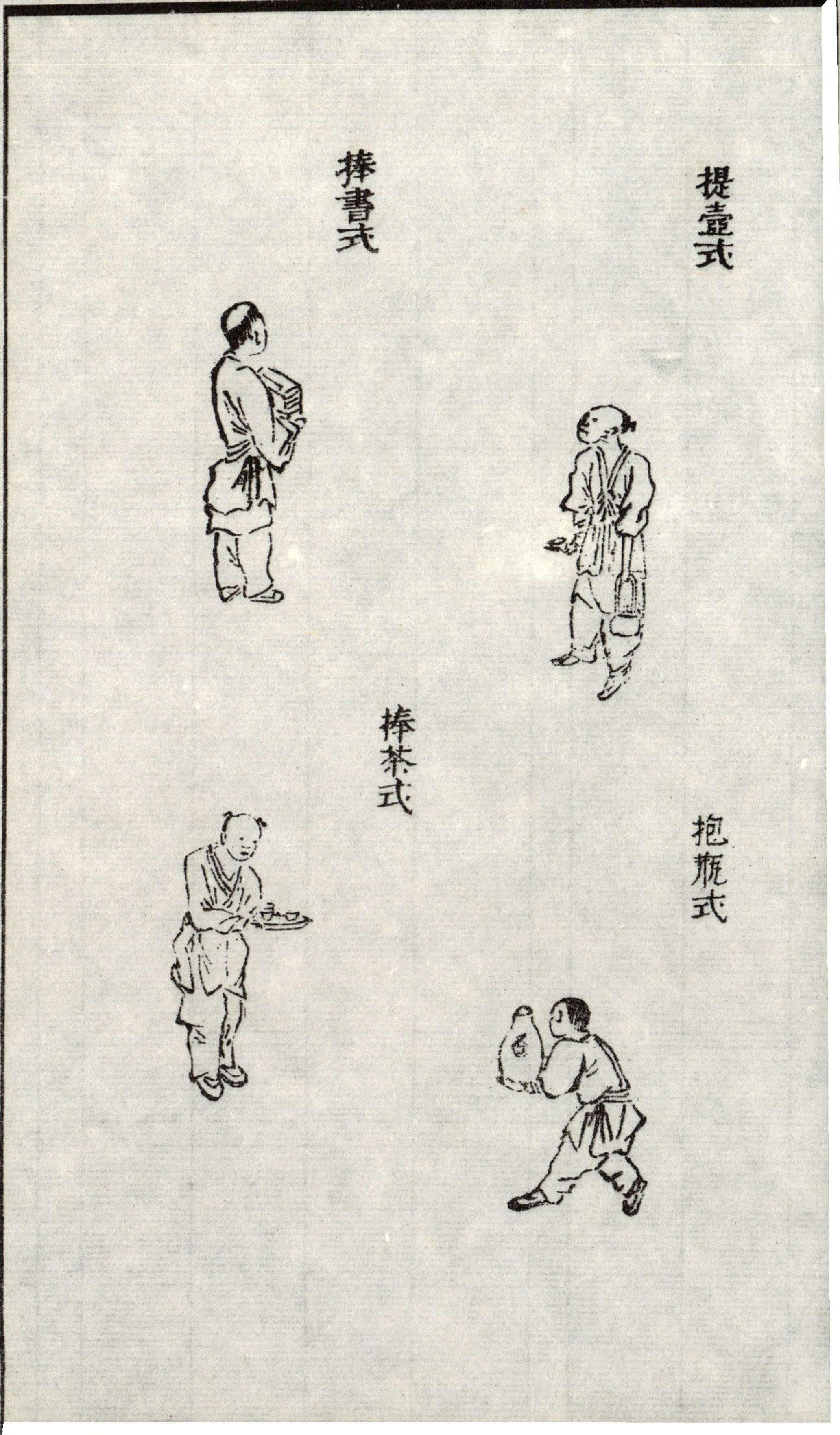
提壺式
捧書式
抱瓶式
捧茶式

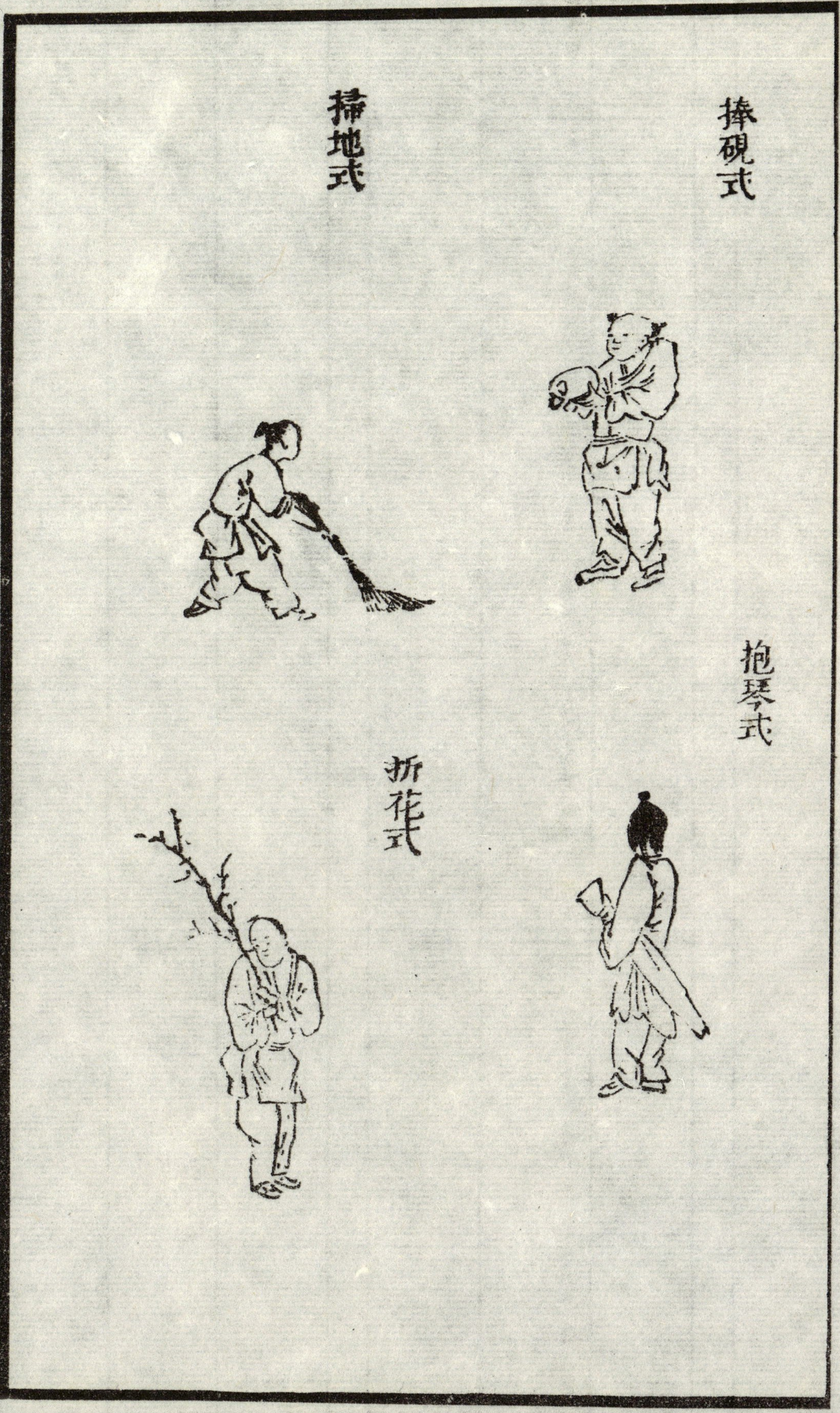
捧硯式
掃地式
抱琴式
折花式

洗盞式

煎茶式

抱膝式

洗藥式

芥子園畫譜
卷四

擔行囊式

牽馬式

負書式

獨坐式

兩人看雲式

兩人對坐式

四人坐飲式

獨坐觀書式

促膝式

垂竿式

趺跏式

撥阮式

吹簫式

釣魚式

燒丹式

嗚絃吹笛式

漁家聚飲式

獨坐看花式

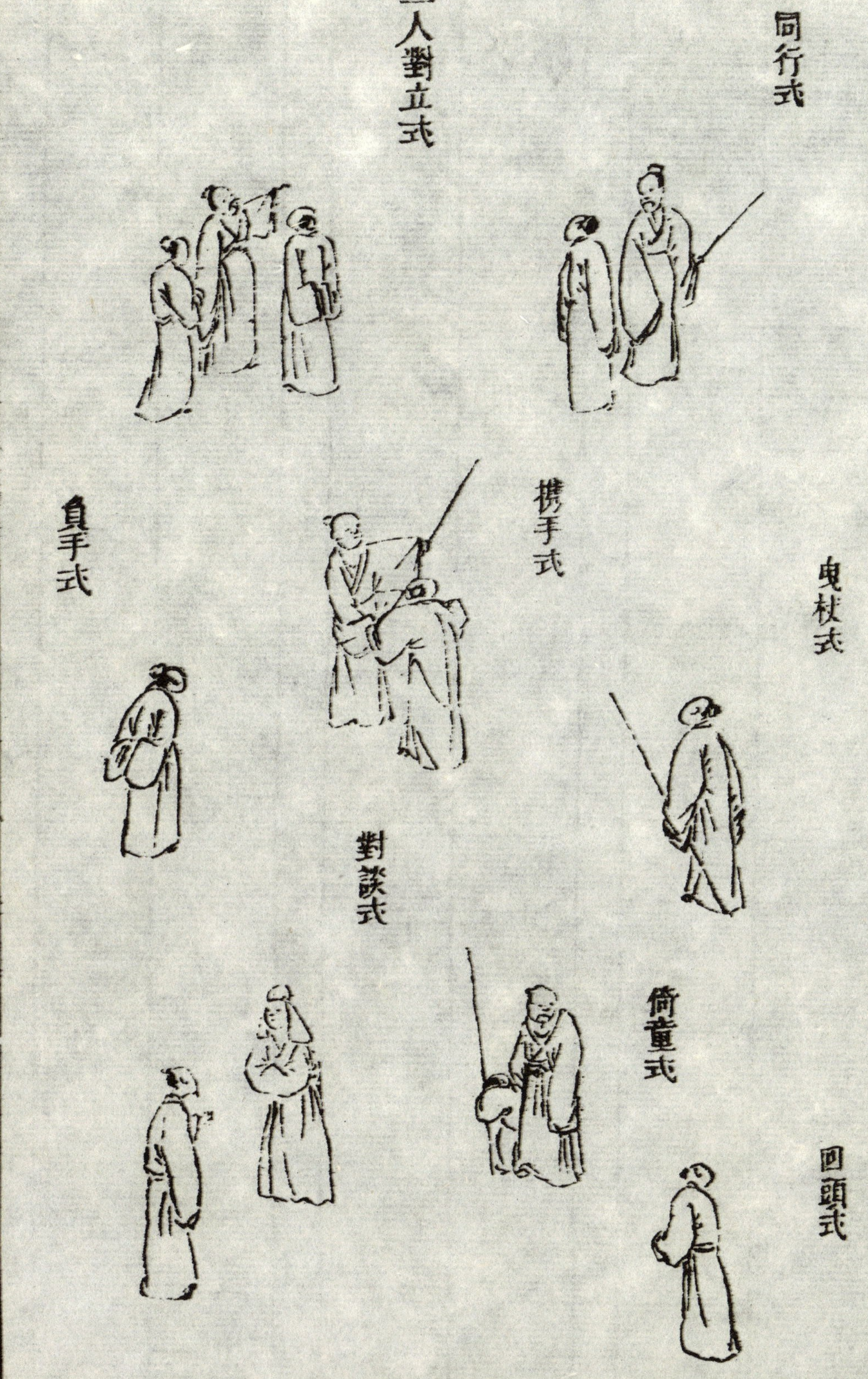
同行式
三人對立式
曳杖式
携手式
負手式
倚童式
對談式
回頭式

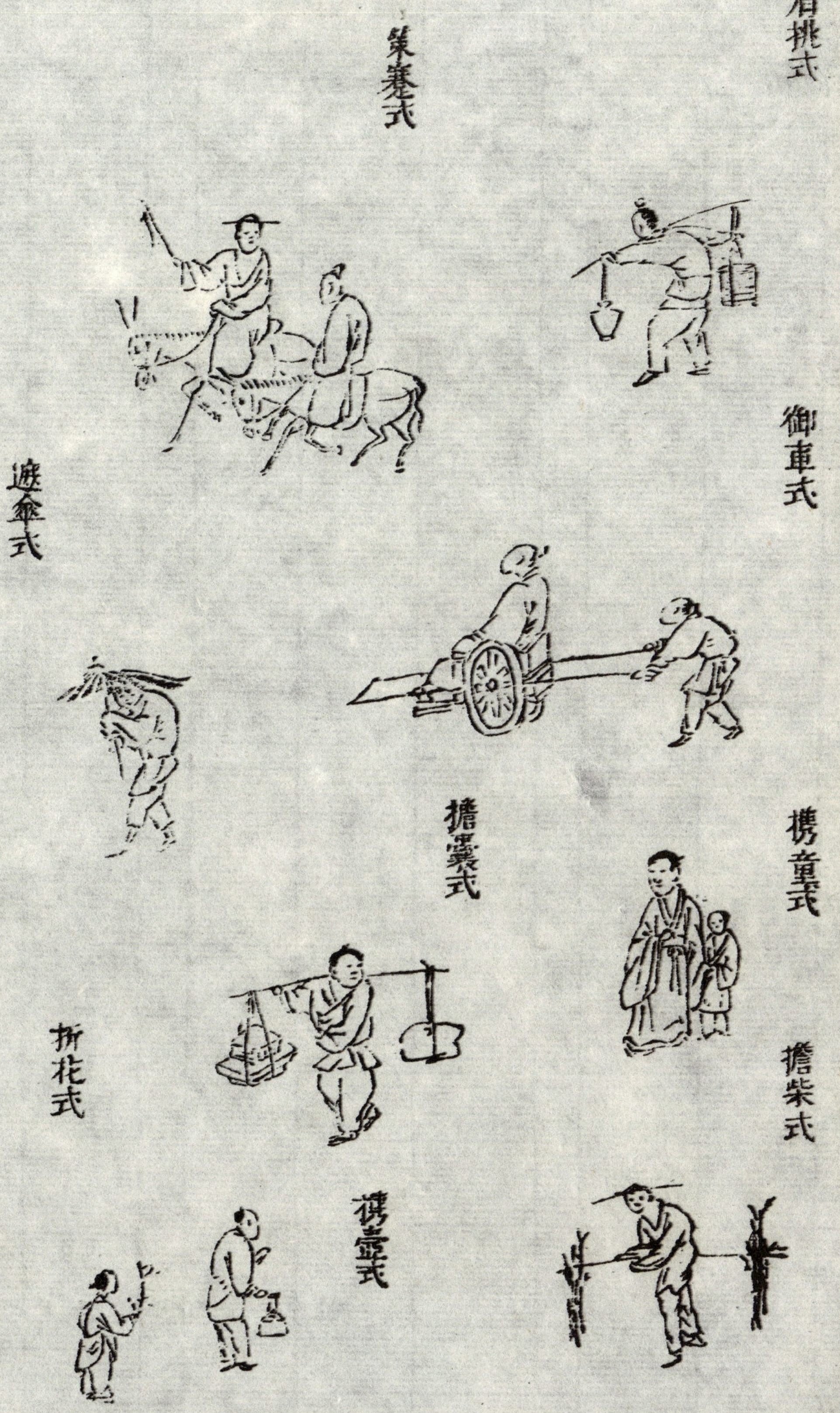
肩挑式
策蹇式
御車式
遮傘式
携童式
擔囊式
擔柴式
携壺式
折花式

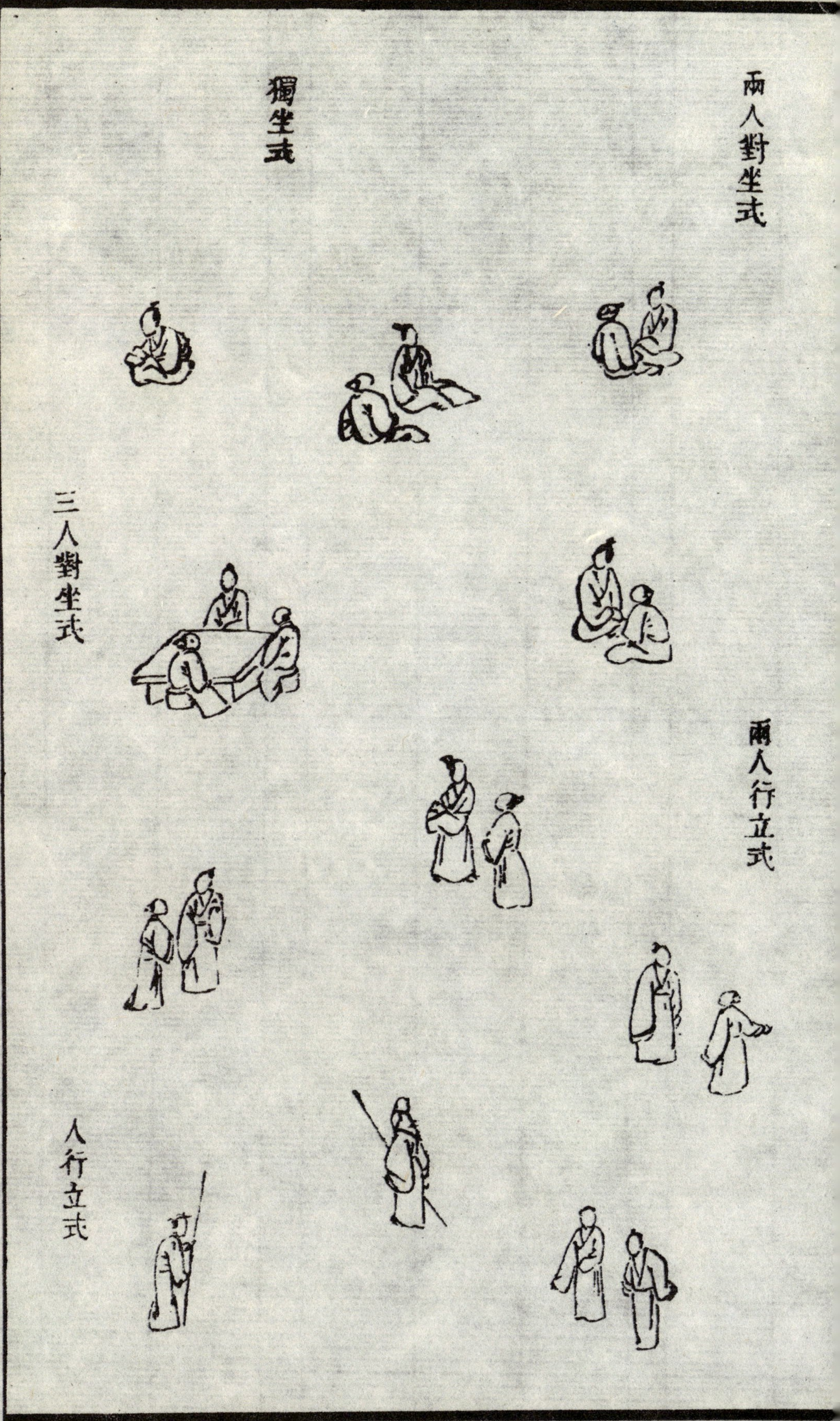
兩人對坐式
獨坐式
三人對坐式
兩人行立式
人行立式

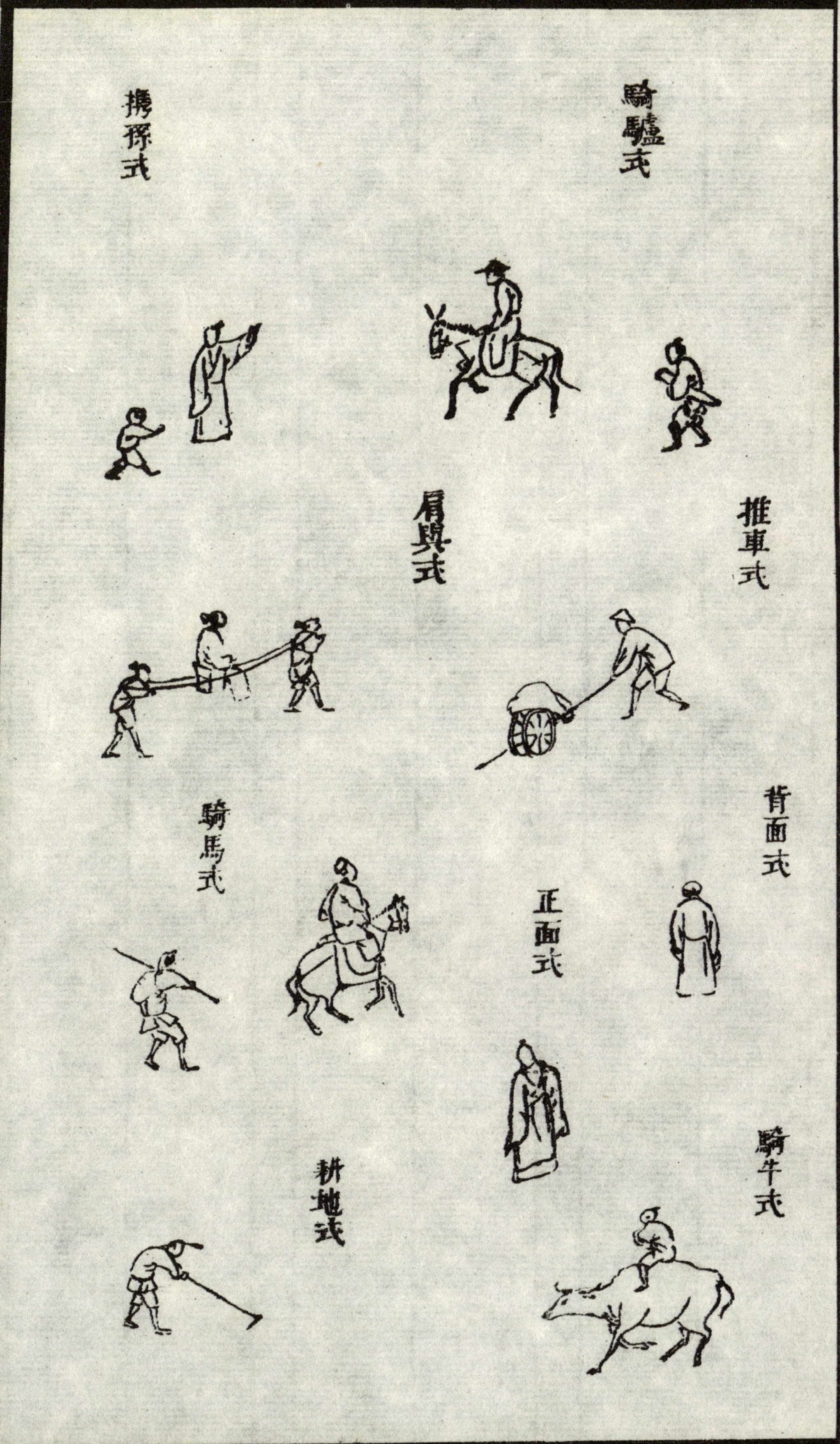
騎驢式
携孫式
推車式
肩輿式
背面式
騎馬式
正面式
騎牛式
耕地式

極寫意人物式
數式尤寫意中之寫意也下筆最要飛舞活潑如書家之張顛狂草然以草書較真書爲難故古人曰匆匆不暇草書以草書較楷書爲尤難故曰爲而必系曰意以見無意便不可落筆必須無月而若視無耳而若聽旁

芥子園畫譜 卷四

見側出於一筆兩筆之間刪繁就簡而就至簡天趣宛然寔有數十百筆所不能寫出者而此一兩筆忽然而得方爲入微

中國傳世畫譜

芥子園畫譜 卷四

芥子園畫譜 卷四

三二三

三二四

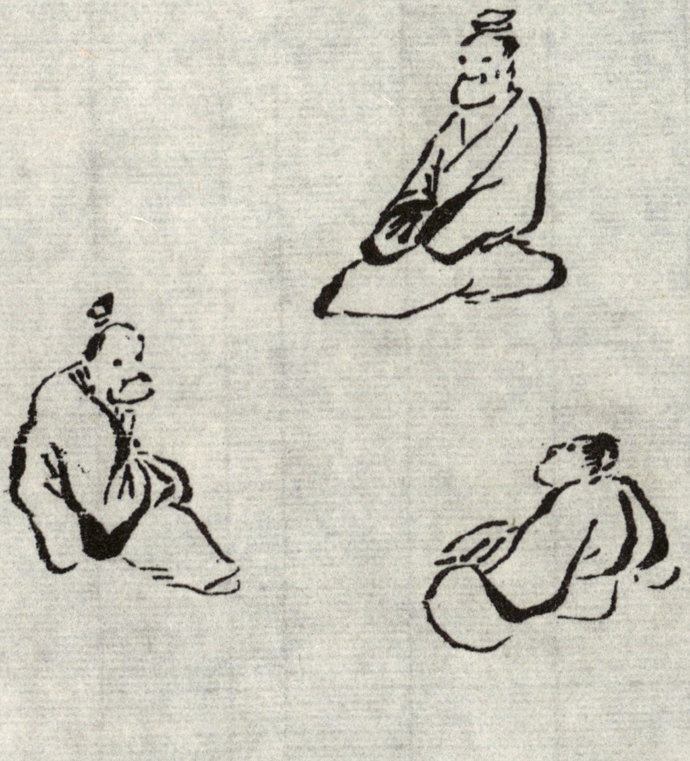

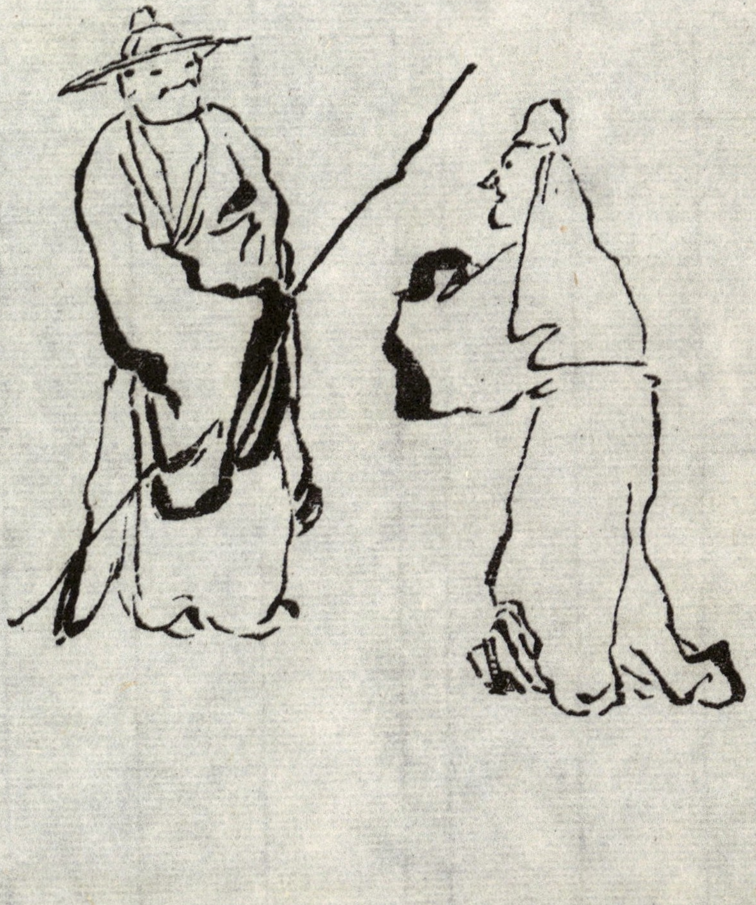

芥子園畫譜 卷四

山水中鳥獸各式此種雖屬細事然所關者甚大如要畫春春畫不出第畫一鳴鳩乳燕非春而何如要畫秋秋畫不出第畫一飛鴻宿雁非秋而何然此猶於山樹可以分别者也至要畫曉曉畫不出第畫栖鳥出林吠尾守戶非曉而何要畫暮暮畫不出第畫鷄栖于塒會藏于樹非暮而何將雨則鸛鳴將雪則鴉陣以及牛馬知上下風之類畫中生動全然在此

春郊滚馬式

雙馬飲泉式

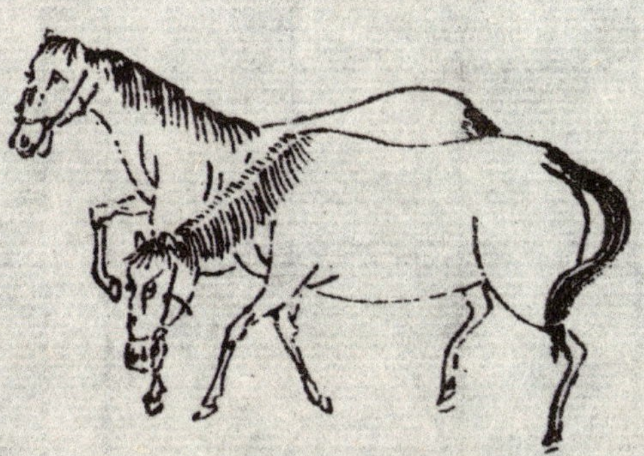

負駒式

牧牛行卧式

白羊行臥式

雙鹿式

鳴鹿式

卧犬式

犬犬式

芥子園畫譜

卷四

飛鶴式

鳴鶴式

雙鶴式

雙燕頡頏式

栖鳥式

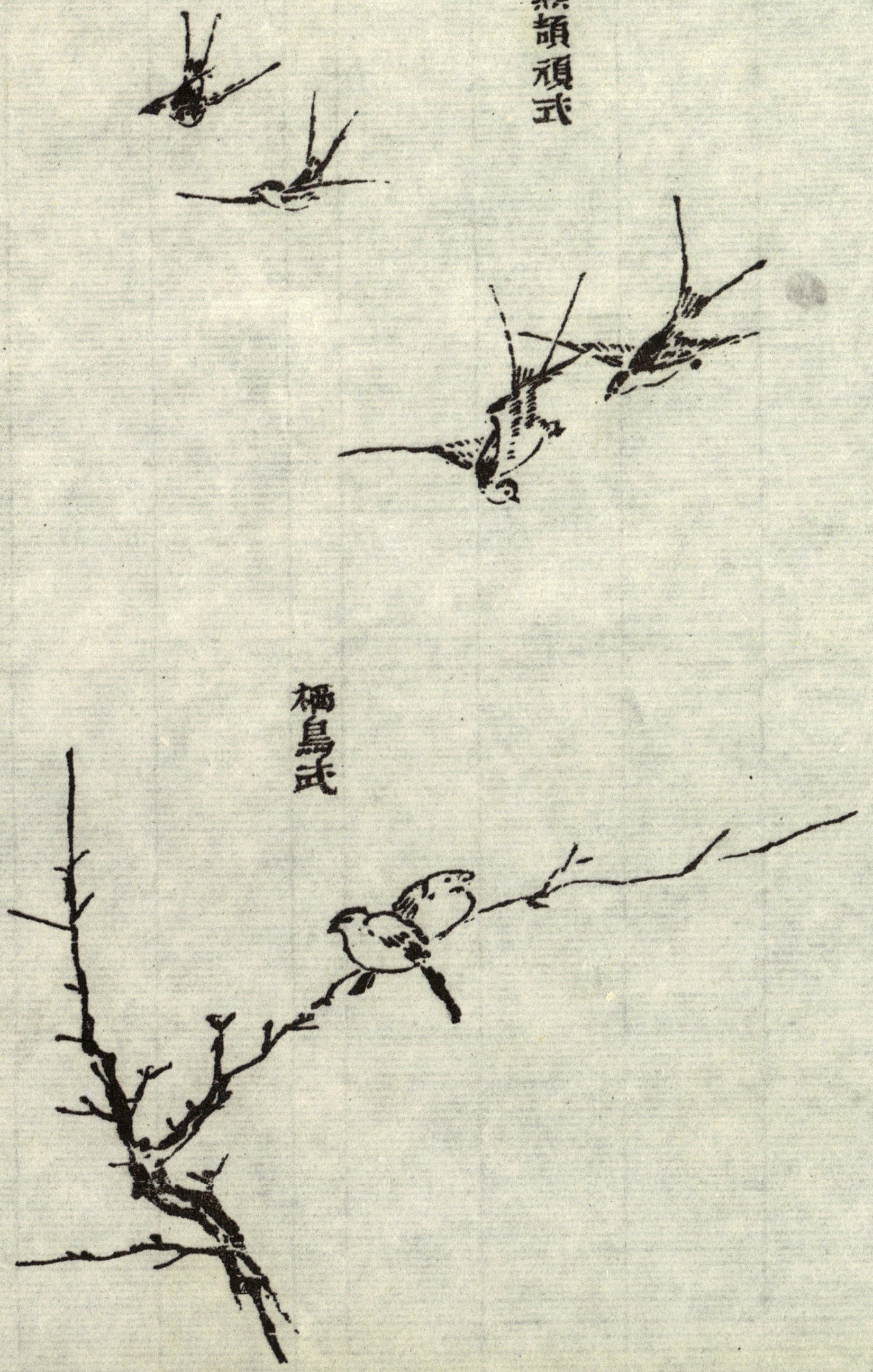

飛鴉式

雲鴉式

栖鴉式

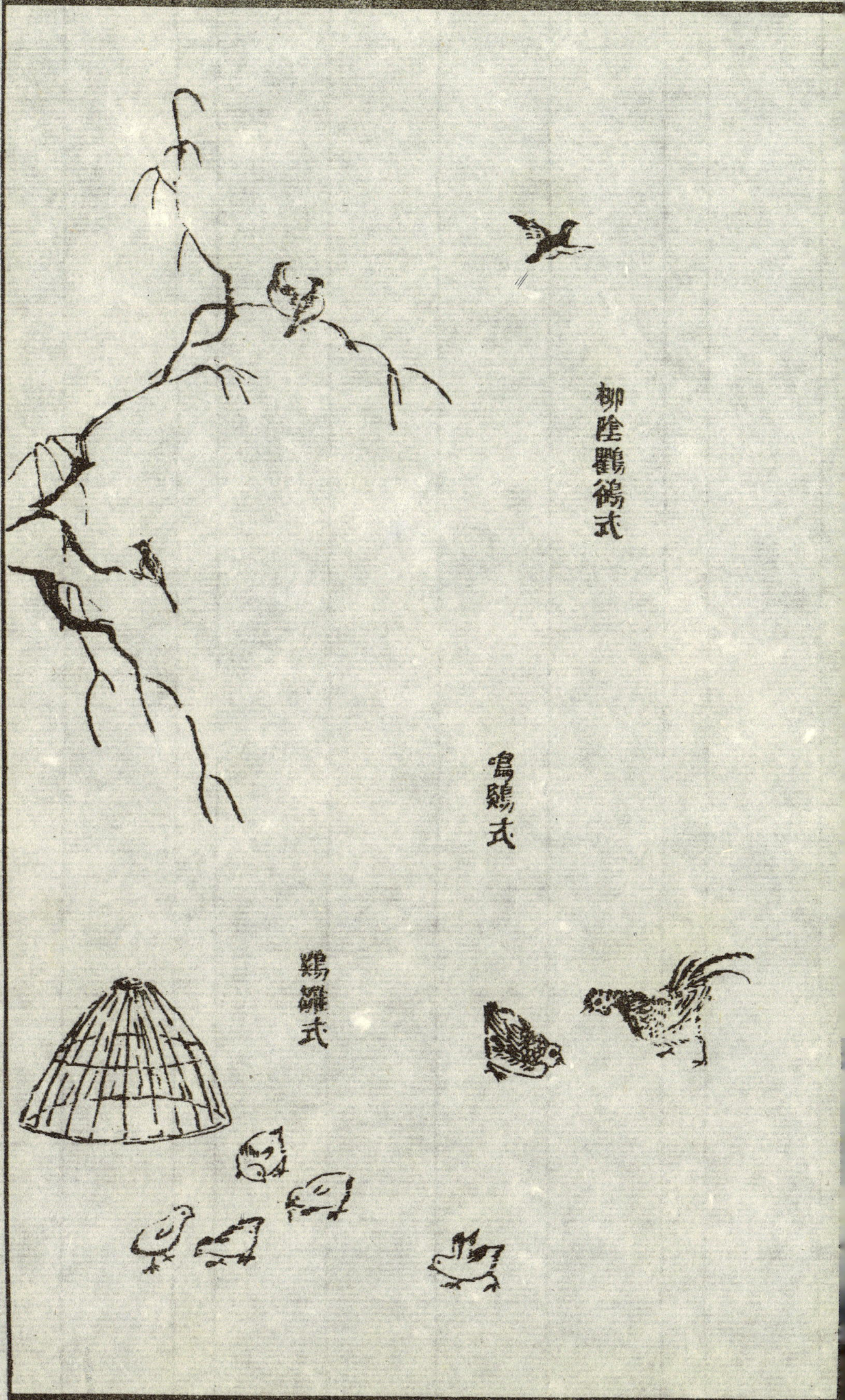

中國傳世畫譜

芥子園畫譜 卷四 四三

芥子園畫譜 卷四 四四

穿插[illegible]屋法

凡山水中之有堂戶猶人之有眉目也人無眉目則爲肓癲然眉目雖佳亦在安放得宜眉目不可少正不可多者假若有人通身是眼則成一怪物矣畫屋不知審其地勢與穿插向背徒事層層相疊何以異是吾故謂凡房屋畫法必須端詳山水之面目所在天然自有結穴大而數丈之畫小而盈寸之紙其安置人居只得一處兩處山水有人居則生情麗雜人居則純市井氣近日畫中安頓廬舍安貼者僅有數人耳此數人外山水雖工而其所畫人居非螺螄精則小兒壘土爲戲者全無結構往姚簡叔作畫即黍粒大屋一二間亦

所謂眉目者門戶則眉堂與其目也眉宜修故墻宜委曲環拘目不宜過露故內屋宜斂氣含虛其式有二上式宜於平地下式則因山壘茸矣餘倣此

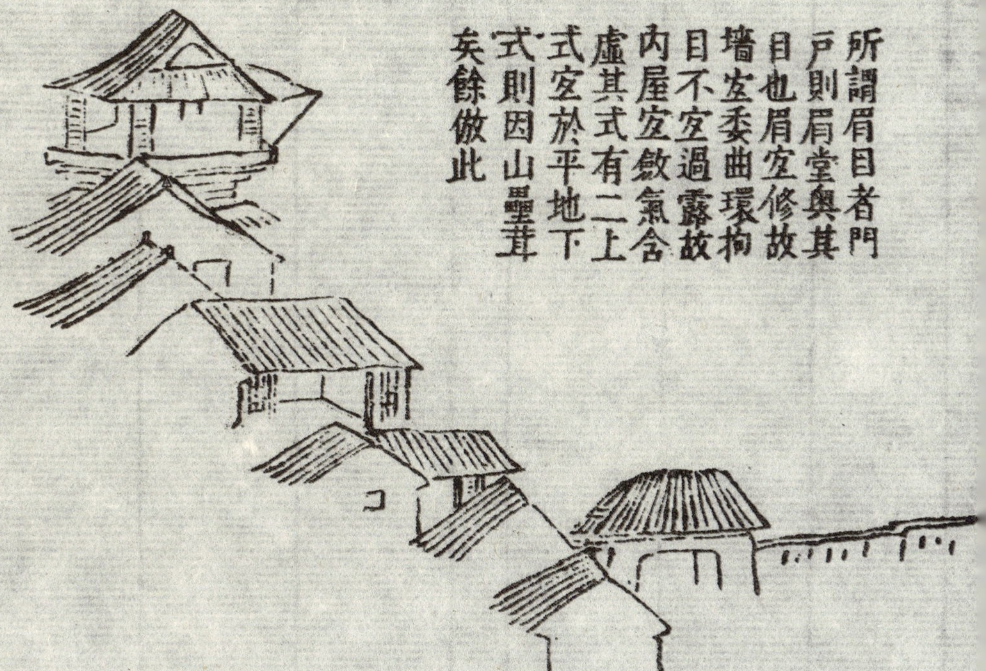

必前後相通曲折盡致有山顧屋屋顧山之妙可謂善於學古者矣

抱山面水諸細瓦屋式

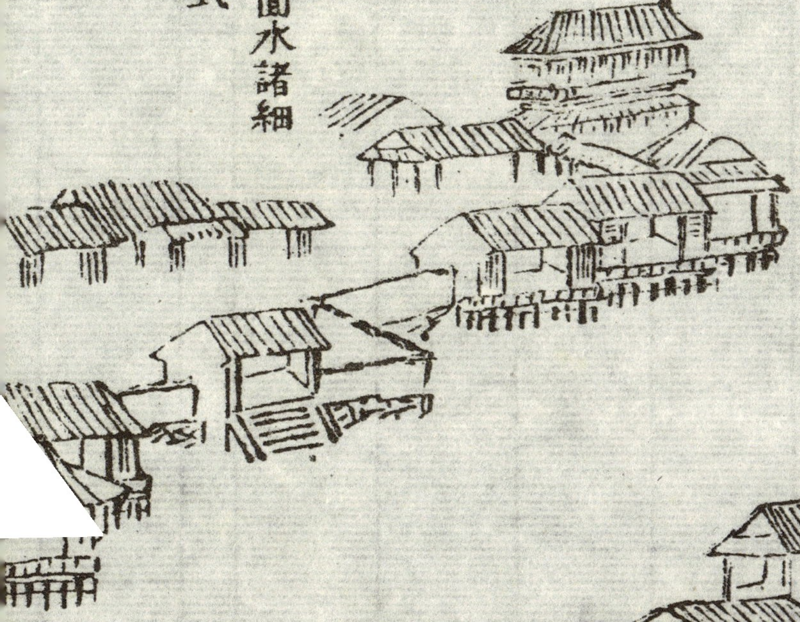

水檻兩岸相對画法

湖心築亭有橋可通式

或竹中或桐下書屋獨聳四圍開窗而面有景画法

高軒獨支三面環水画法

此處或溢以叢樹或扺以石壁皆可

層軒而水画法

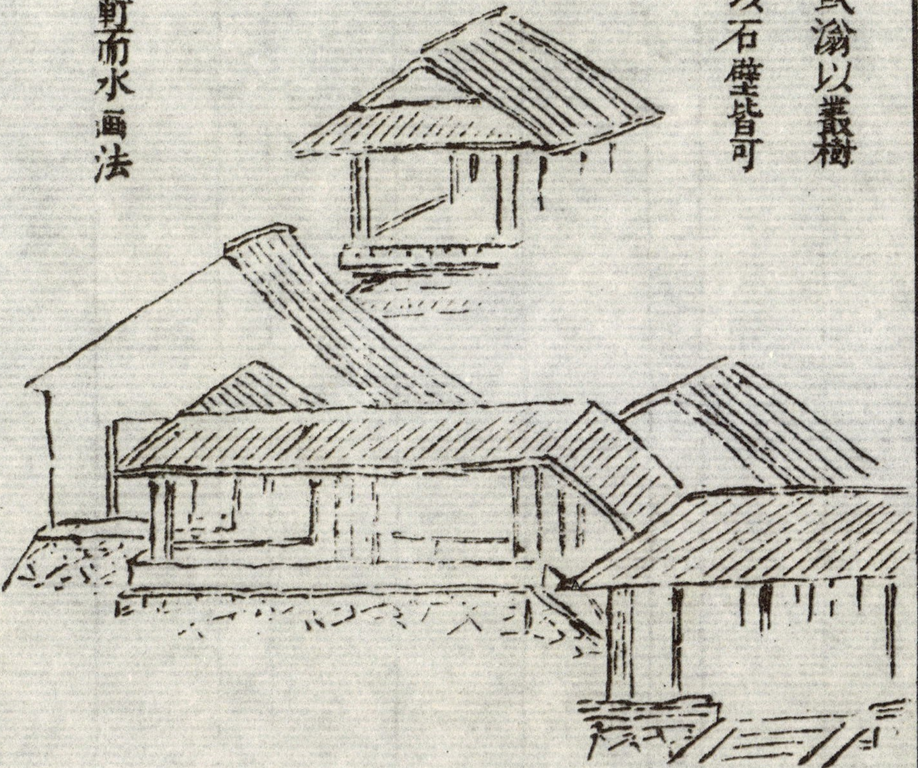

山凹桃柳中置此以收遠景

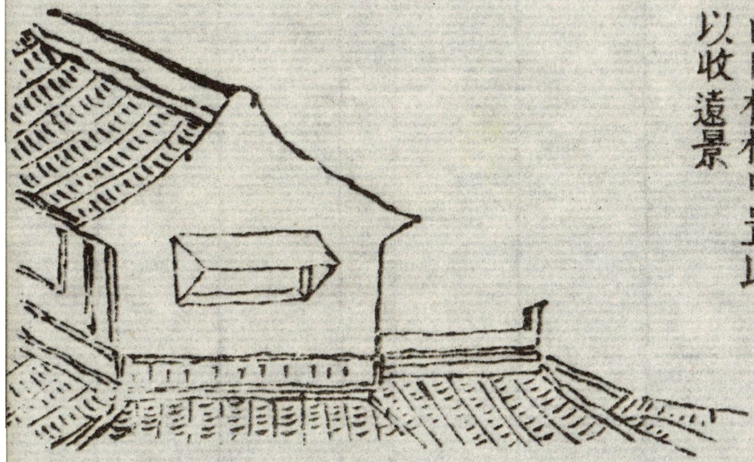

樓殿正面画法

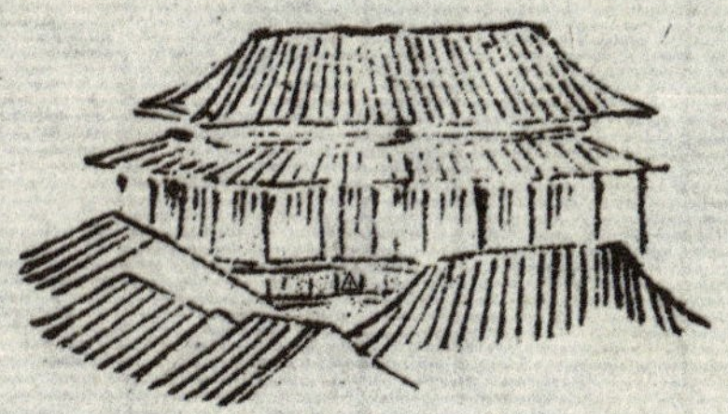

樓殿側面画法

樓閣高聳以收遠景画法

平屋虚亭画於水邊林下楚楚有致

鄉閭村落多以平屋叢沓中聳危樓峻閣可以觀穫可以捫雲

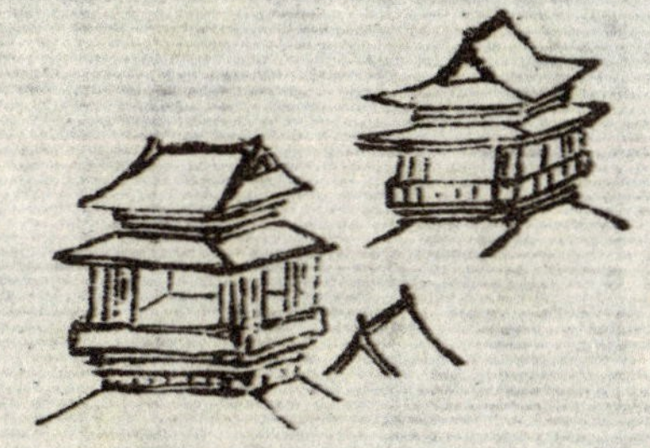

遠望鐘鼓樓式

讀書池館式

園居石墻極樸而其間亭閣極華式

汎地斥堠江景中最宜

棧閣宜画于蜀道及俯江絕壁之下

夏景村庄茅屋式中於近窗設有遮陰在也

河房式

遠露殿脊法

二間交架瓦屋法

兩間交架瓦屋

茅屋兩間平置法

茅屋兩間斜置法

茅屋一間畫法

画門逕式

山中人不必歷其堂奥始見幽閒也須於門徑間早望而知爲有道之廬使人起三顧想如此方爲能手

柴門画法

亂石壘虎皮牆門法

甎牆門画法

老樹土牆画法

脩竹柴門画法

柴扉藤草石甃草堆瓦比斷鱗壁如龜折於極荒蕪中有極生動之氣惟王叔明擅場

凡畫雨景雪景可用之

以破筆畫屋極古雅然惟於蒼莽寫意山水中始宜位置之

兩正一側屋宇画法

丁字屋宇法

自門內反画出門逕法然必須四圍有樹層層遮掩

石側樹底露出山家後門法

芥子園畫譜 卷四 六二

郵野小景法

瓊樓玉宇固所以居神仙而豆棚瓜架清絕之地亦復不讓神仙故於樓臺後即次之以郵野小景以見作畫猶空於淡處多着眼勿襲勿拘凡天地間所有之物皆可為我剪裁入畫

斥堠式

豆棚式

花架式

水閘式

或環江或拖山因勢築城画法

正面城門画法

側面城樓画法

工細攢項小樓閣画法

臺上築臺極細小樓閣画法

廬舍四擁城郭画法

此三式係極小而極精工者細畫中擇用之

城邑門屋全露式

寺觀及宮殿極小極細結構式

寺觀由山門至大殿後開層層全露式

此六式極小而有結構者或隔山或對江遠景中擇用之

畫遠望平居四列式

畫遠望村落層層勾搭式

池館廊廡高低顧盼首尾連絡式

遠望城樓式

畫橋法

絕澗陡崖以橋接氣最不可少凡有橋處即有人跡非荒山比然位置各有宜忌石薄而脊凸隆如阜者吳浙之橋也橋上架屋壓以重石柱而防奔湍相嚙者閩粵之橋也更有危梁陡插者宜於險塹薄石橫擔者宜於平沙他可類推

吳山越水宜設此橋

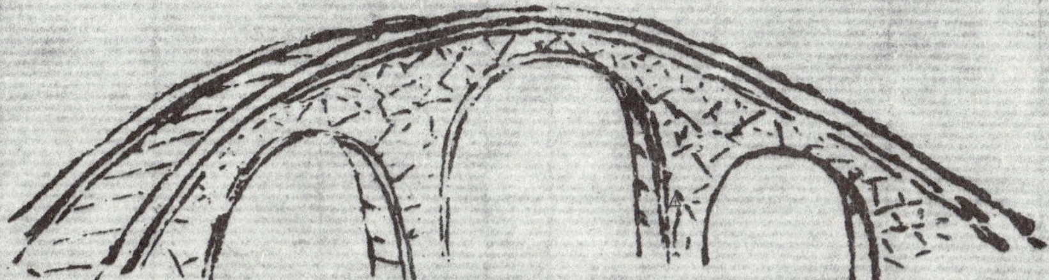

此二橋勢宜置磯頭林下

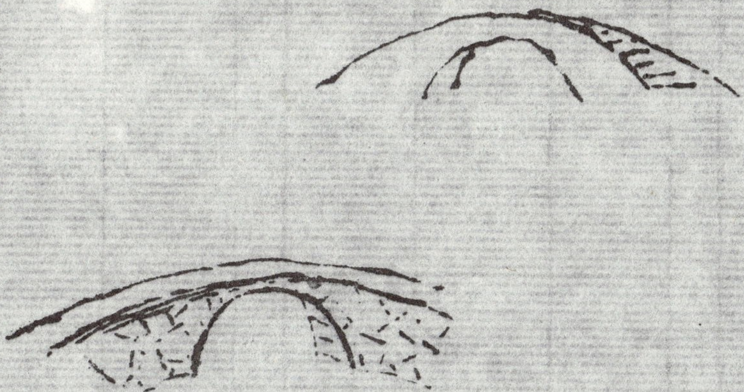

甌閩間橋上悉有屋

江南近城郭者其橋平坦便於車輿率如此

此橋宜設於園榭

桑間籬落淺嚮平田居人隨意橫杓便於婦子非上可以過車馬而下可以行舟皺者板橋之勢畧計有五

平板橋宜於杏花楊柳

蜂腰板橋宜於山河近峤

駝峯板橋宜於近江支港水雖小而實可行舟者

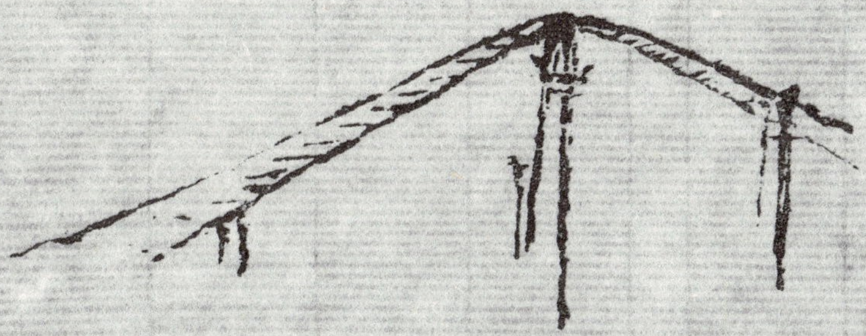

曲板橋宜於迴波曲水因勢倚石

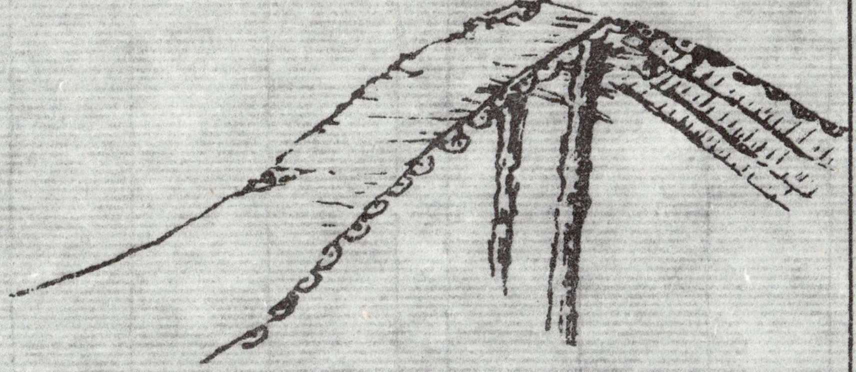

齒缺板橋宜於古鎮荒塘寒村積雪

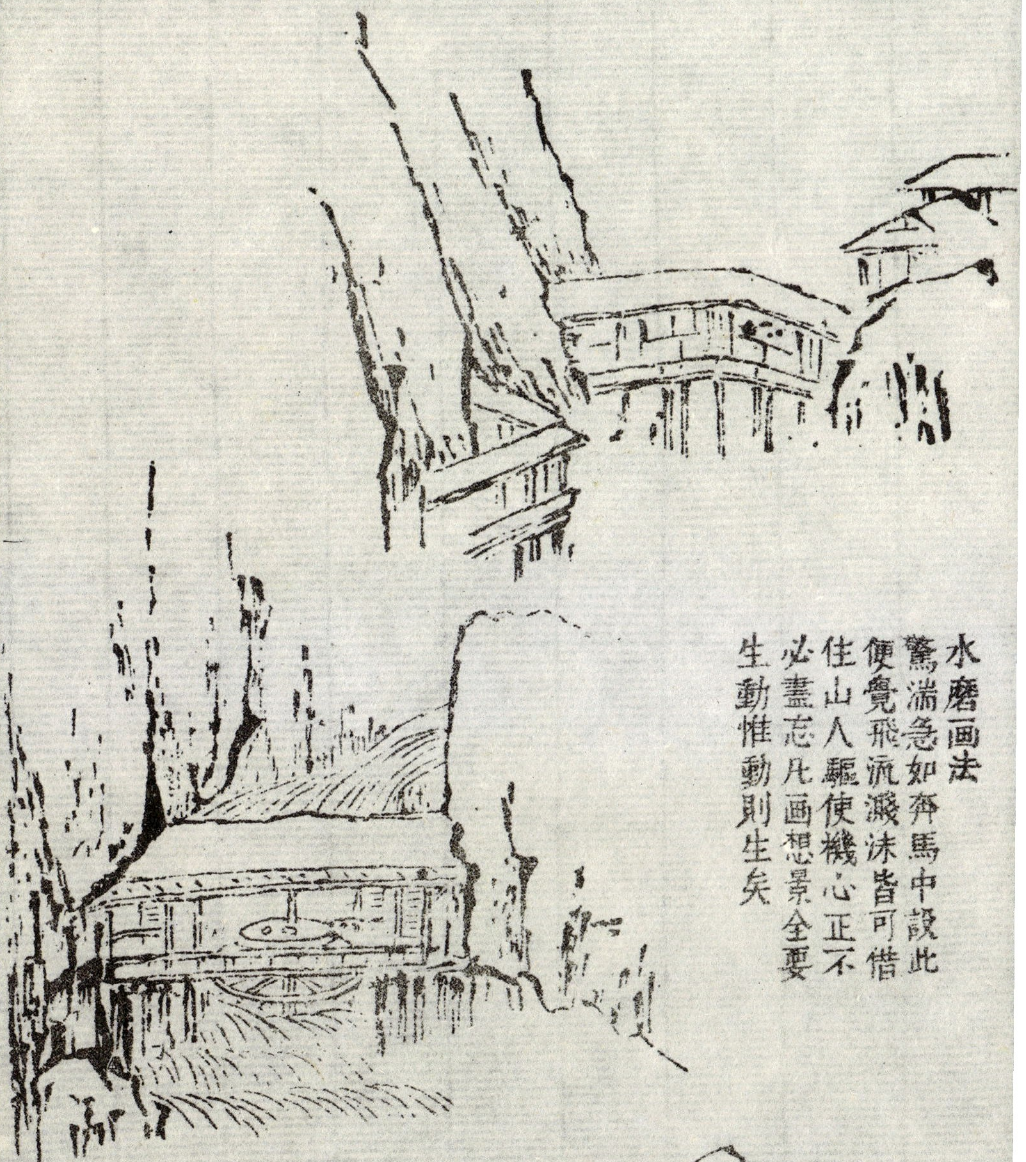

水磨画法
驚湍急如奔馬中設此
便覺飛流濺沫皆可惜
佳山人驅使機心正不
必盡忘凡画想景全要
生動惟動則生矣

亭覆水車式

井亭式
宜画於道
傍樹下以
待遊人憩
息

桔槹画法秘針
綠滿杏酪紅深
携老挈幼連袂
而攀龍骨車歌
聲軋而復起東
作佳境實無踰
此

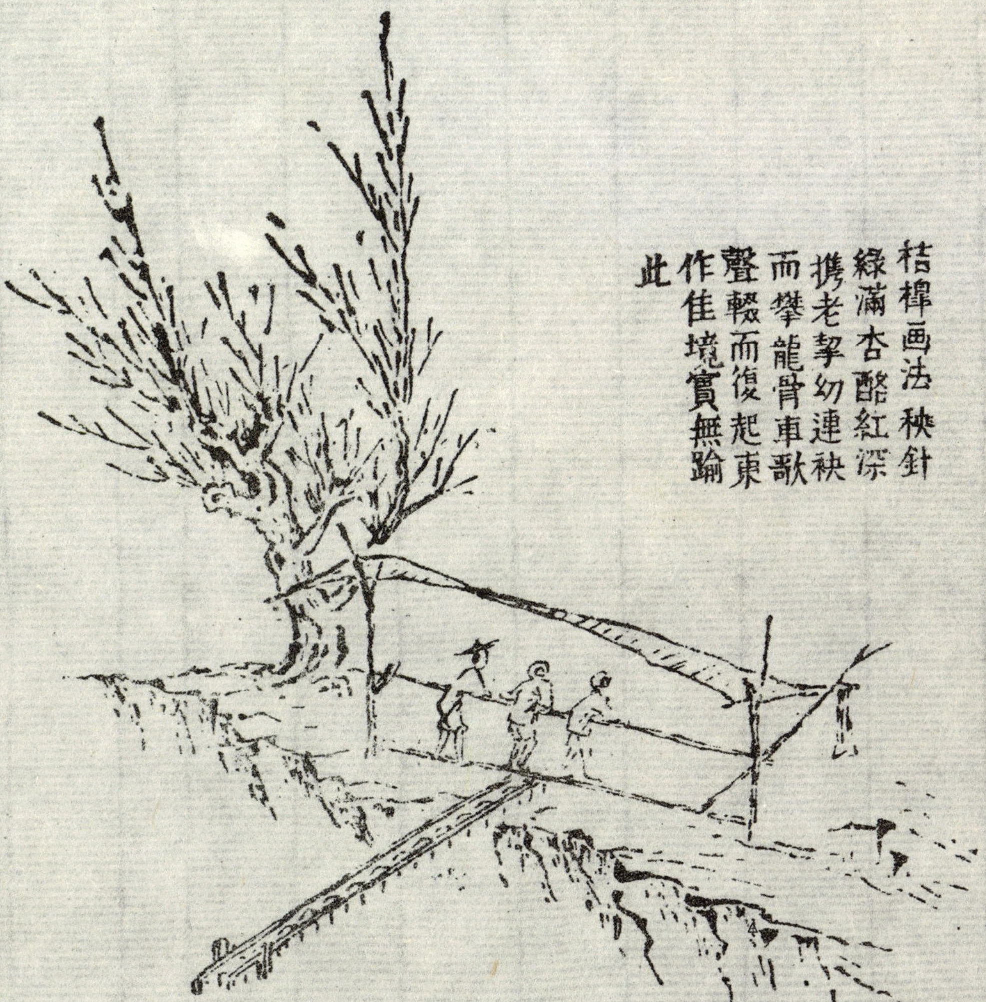

欲收遠景須築層樓欲收層崖疊嶂千丘萬壑非復尋常之遠景必須高塔使人望之而有手捫星辰氣吞河岳之槩所謂山勢不全將以人力補之是也鎦松年輙喜爲之

廢塔式

辟支石塔式

琉璃八寶塔式

塔鈴語月寺鐘吼霜於萬籟俱寂中有此清泠聲响空林古逕點綴其間使人生世外想

遠塔式

柵欄寺門式

鐘樓式

寺門式

畫樓閣諸法

畫中之有樓閣猶字中之有九成宮麻姑壇之精楷也筆偏意縱者未嘗不栩栩以爲第不屑屑事此果事此則必度越古人及其操筆而十指先已蚓結終日不能落點墨故古人中郎放誕如郭恕先以盈丈之卷僅傳其一灑墨亂作屋木數角可謂漫無法則矣一旦而操矩尺壘黍粒而成臺閣則宗桷搆櫨以訖罘思無不霞舒風動毫髮可數層層折折可以身入其工也絕非今人可及之功乃知古人必由小心而放胆未有放胆而不小心者豈可以界劃竟目匠氣置而不講哉夫界劃猶禪門之戒律也學佛者必由戒律進步則終身不走滚否則涉野狐界劃淘画家之玉律學者之入門

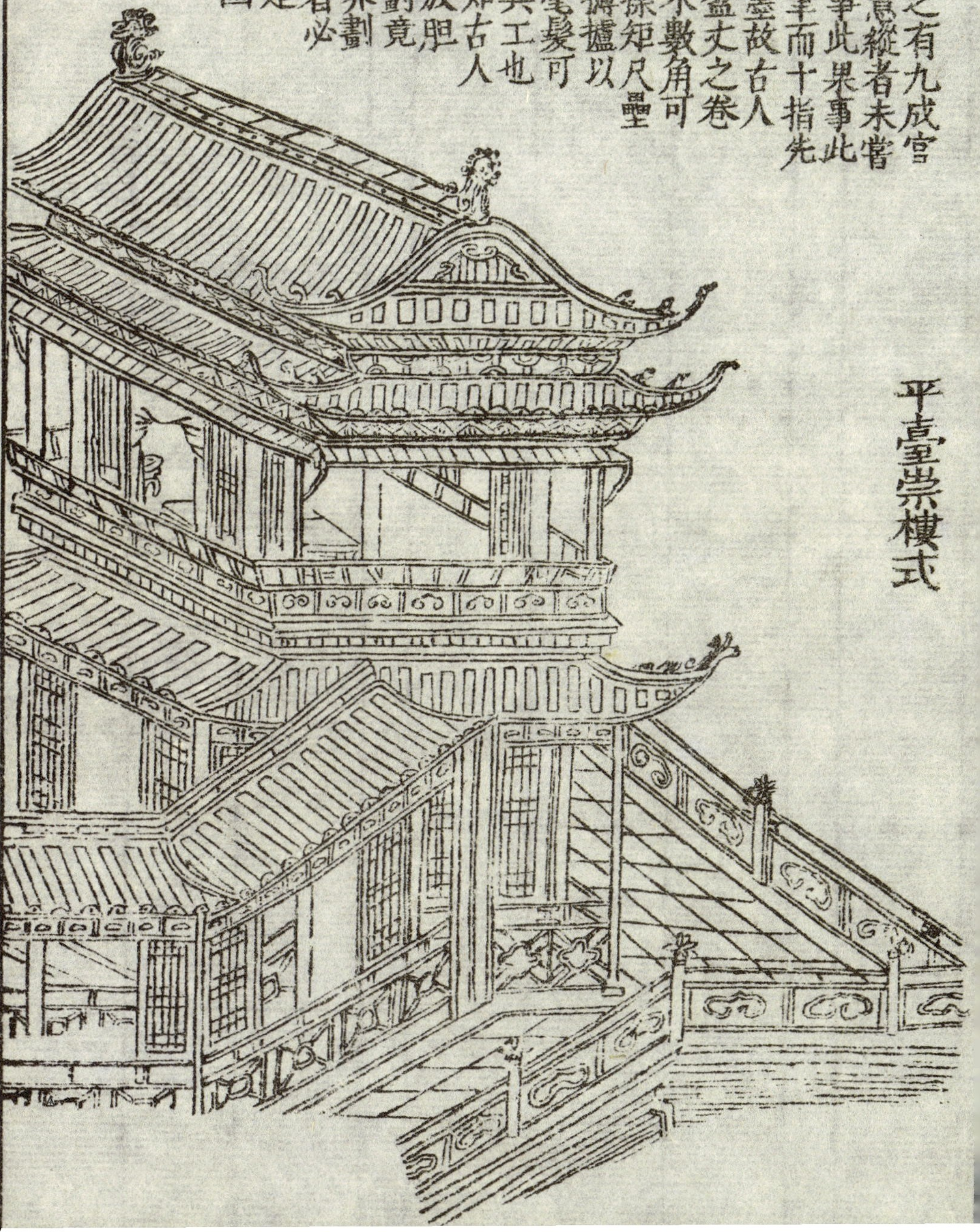

平臺崇樓式

起挑飛甍四面皆正臺閣式

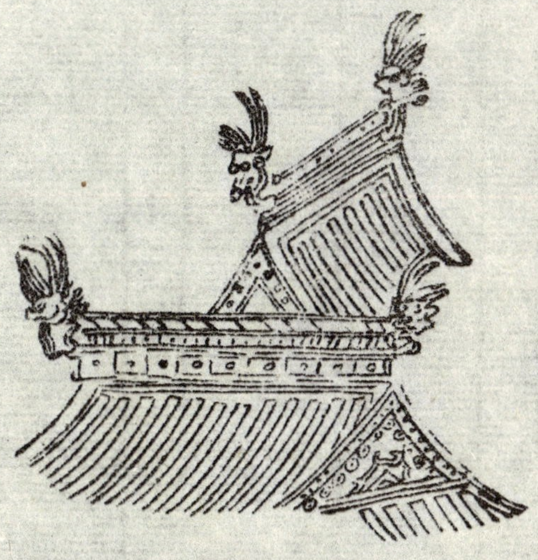

遠殿式

重軒列陛殿式

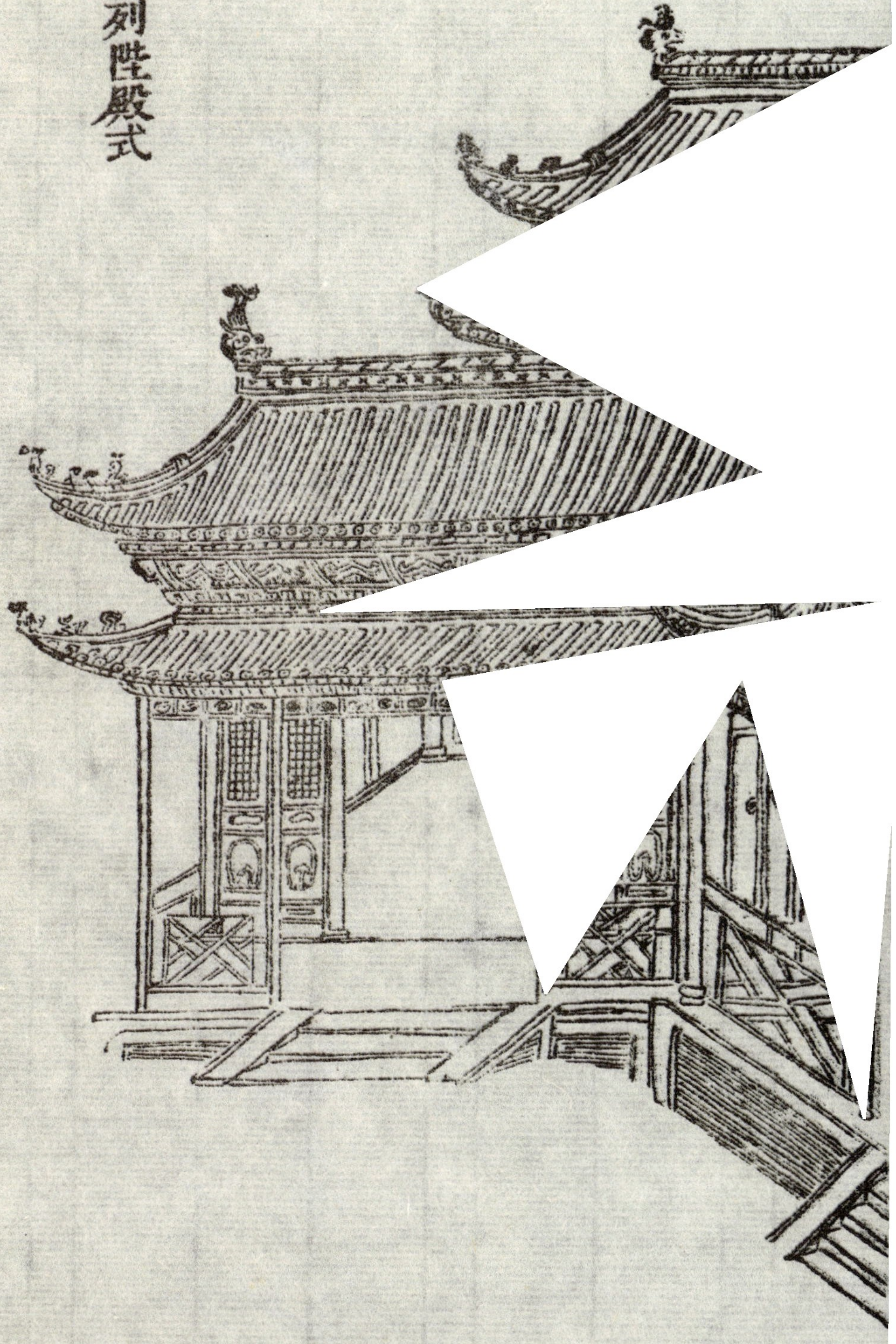

廻廊曲檻官式

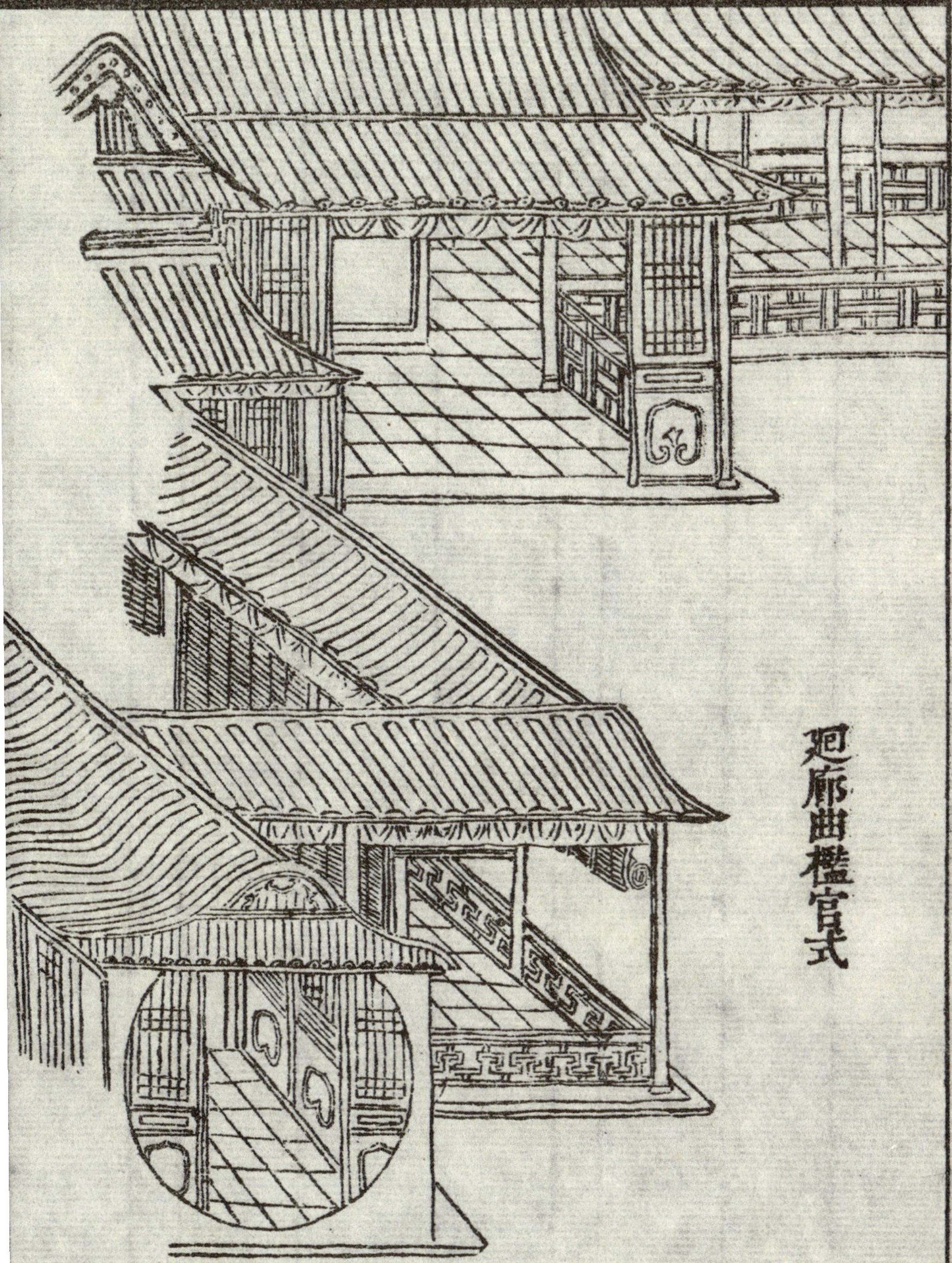

平臺式

遠亭式

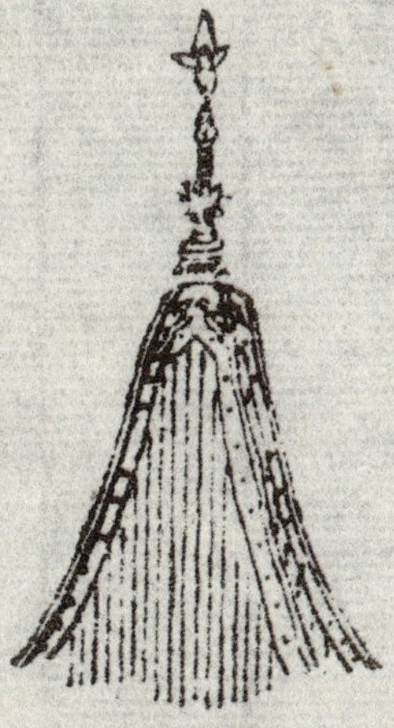

九曲十八面亭式

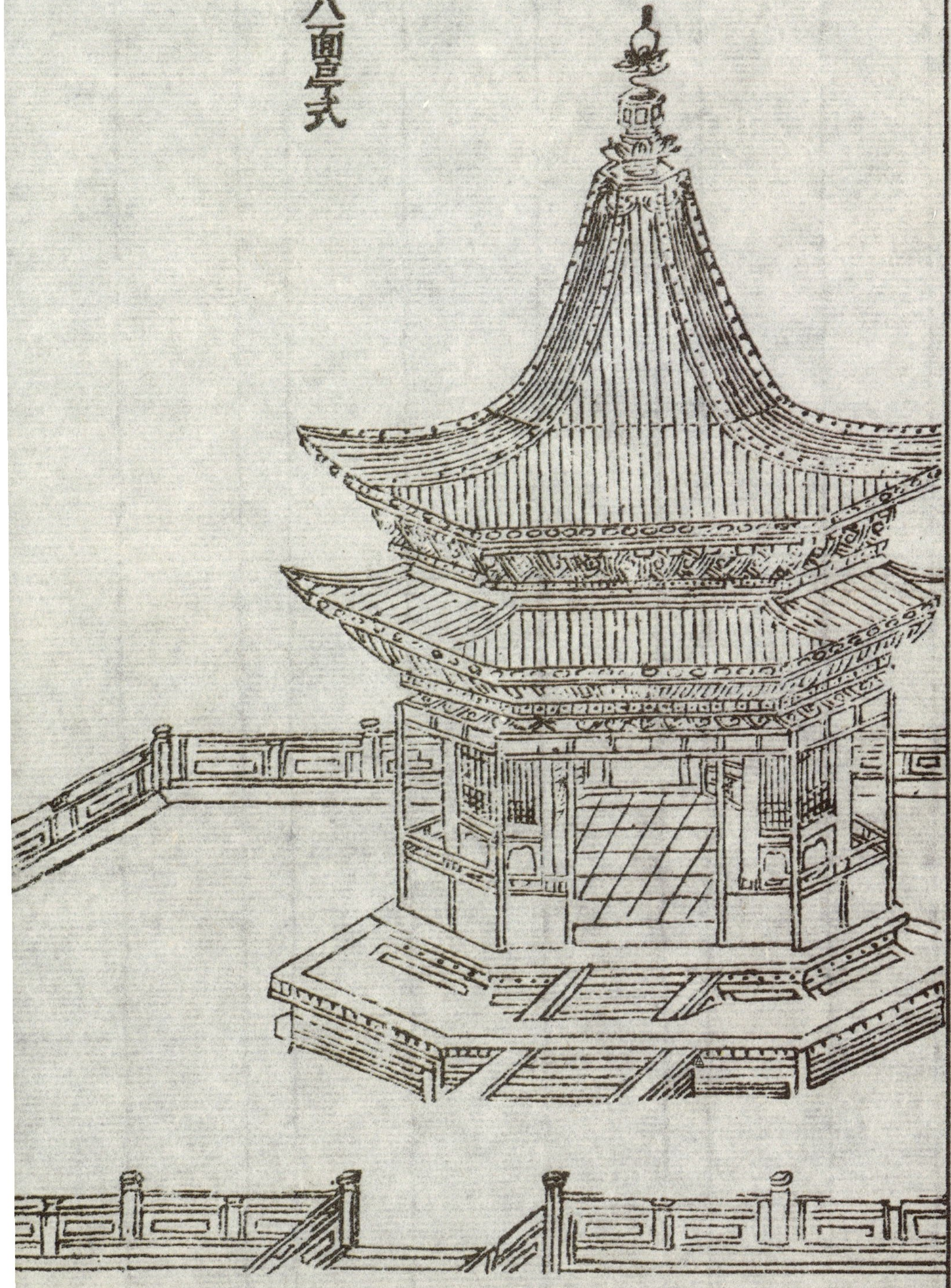

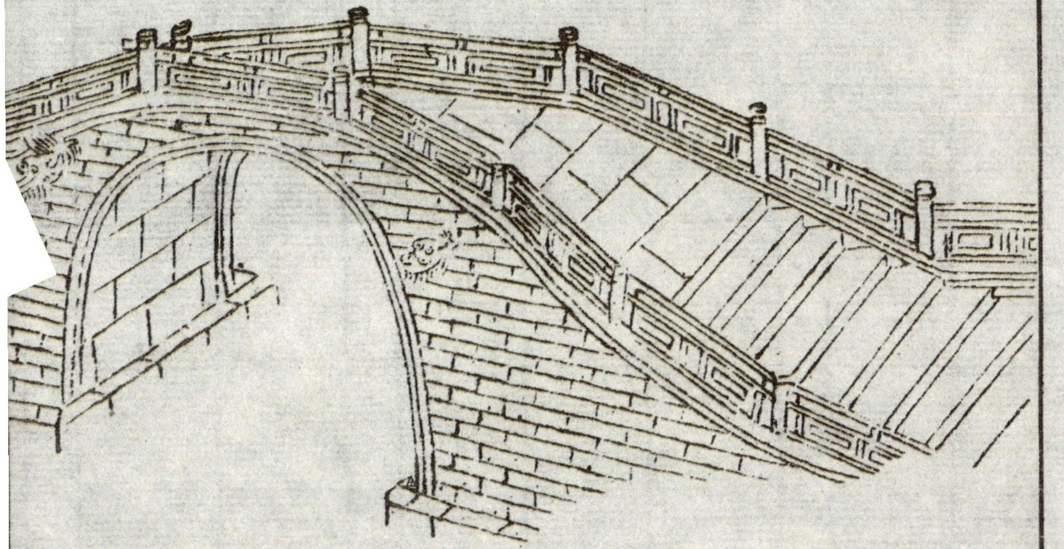

工細橋梁式

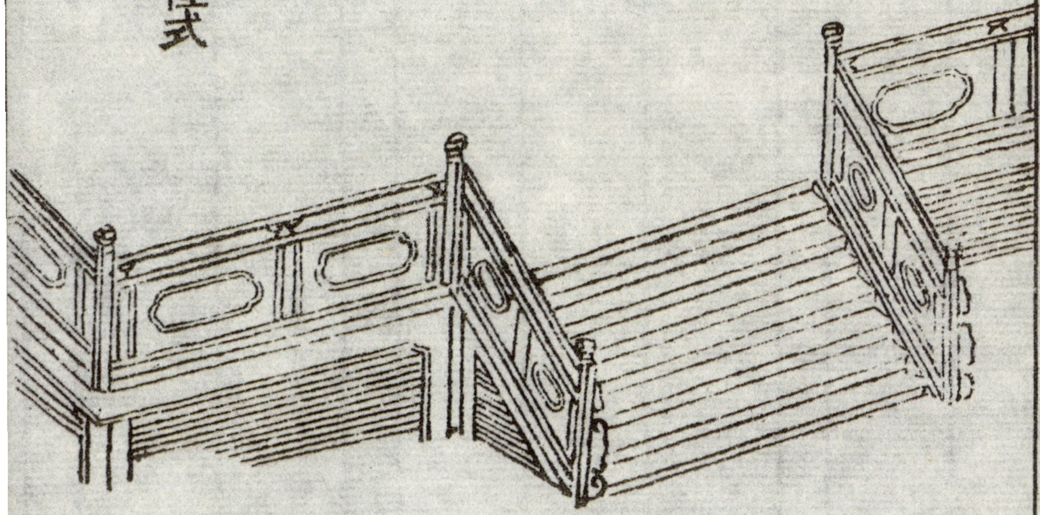

階陛式

芥子園畫譜
卷四
八一

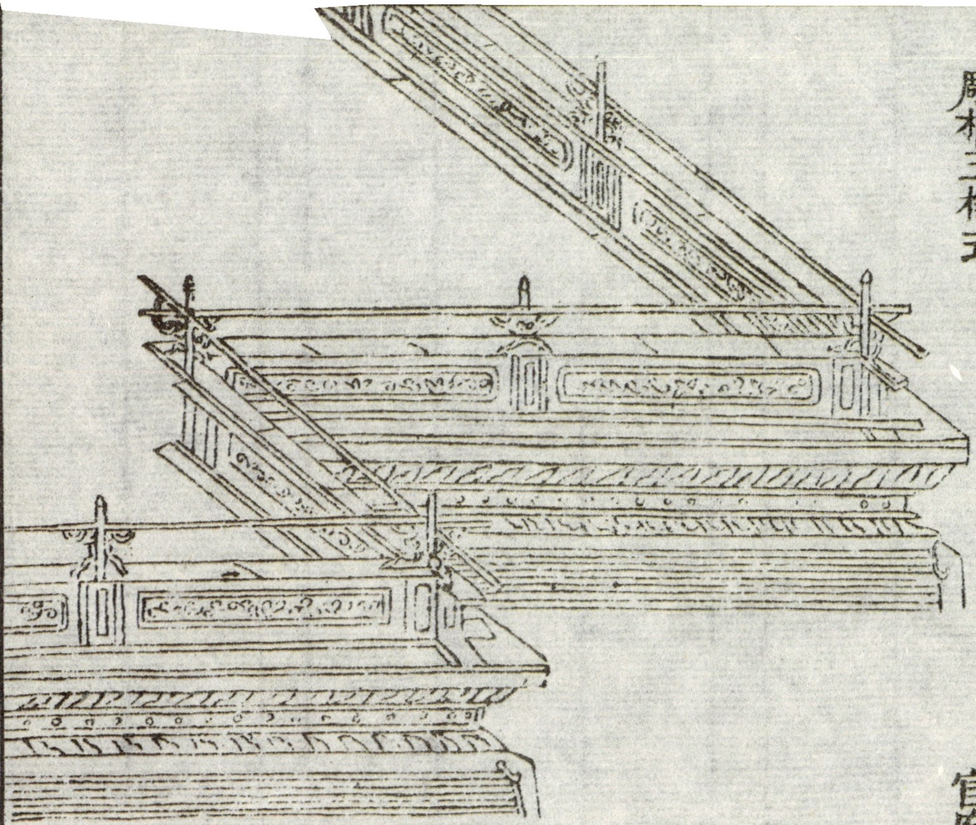

雕欄玉砌式

官府門第式

泊船

渡船

開貼

雙帆齊掛船

雨景漁艇

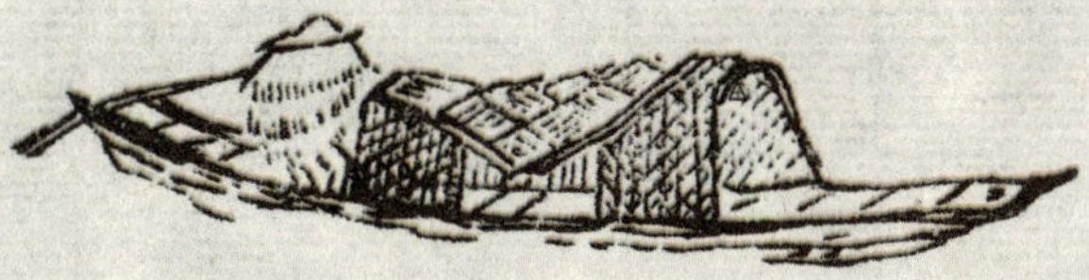

載酒船

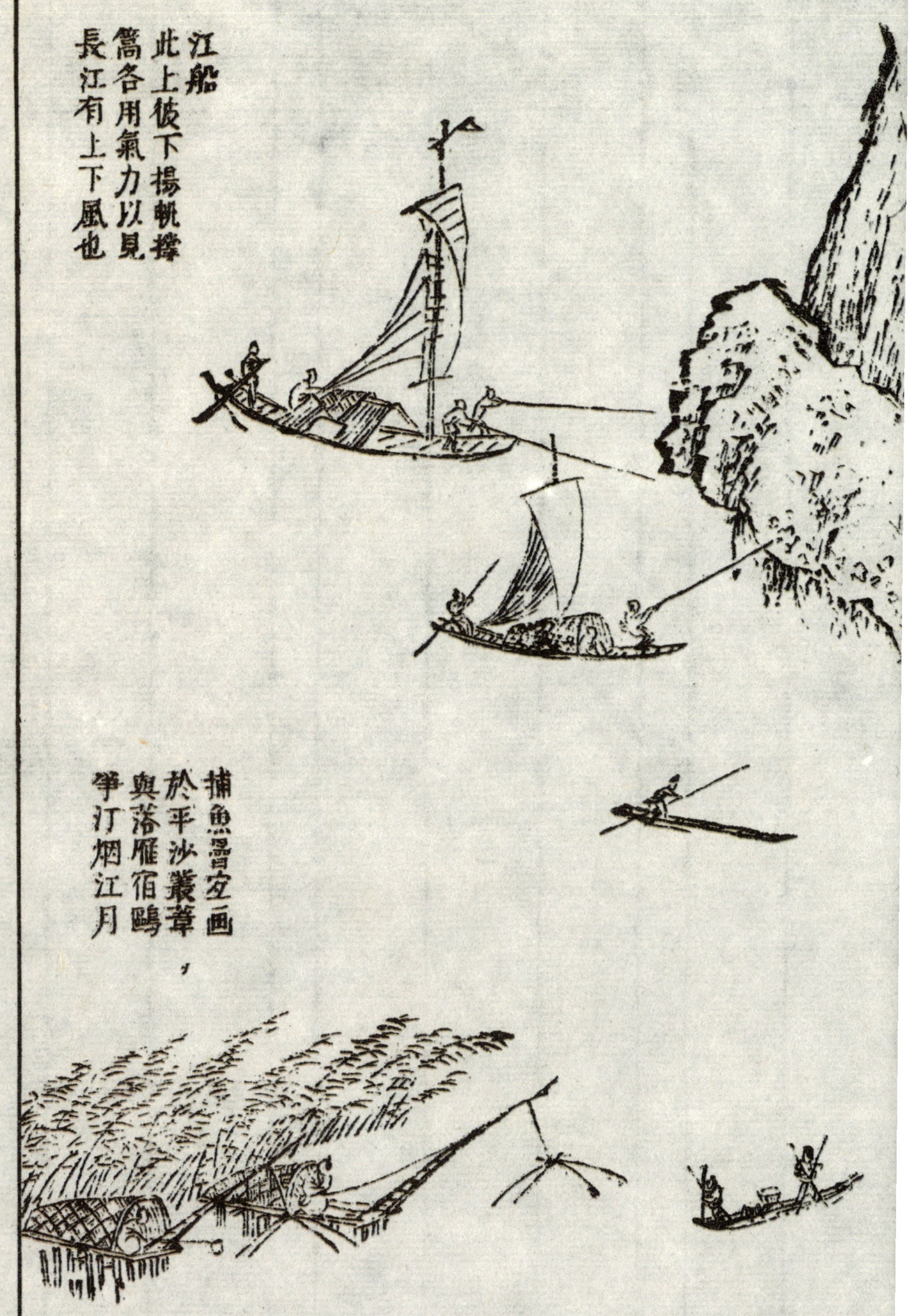

江船

此上彼下揚帆撑篙各用氣力以見長江有上下風也

捕魚罾宜画於平沙叢葦與落雁宿鷗爭汀烟江月

峽船

宜画於川景三峽以百尺劍挽奔湍斷不可画於吳越平波間

大罾

湖船式
宜于波光如練湖縠未起時載酒尋詩

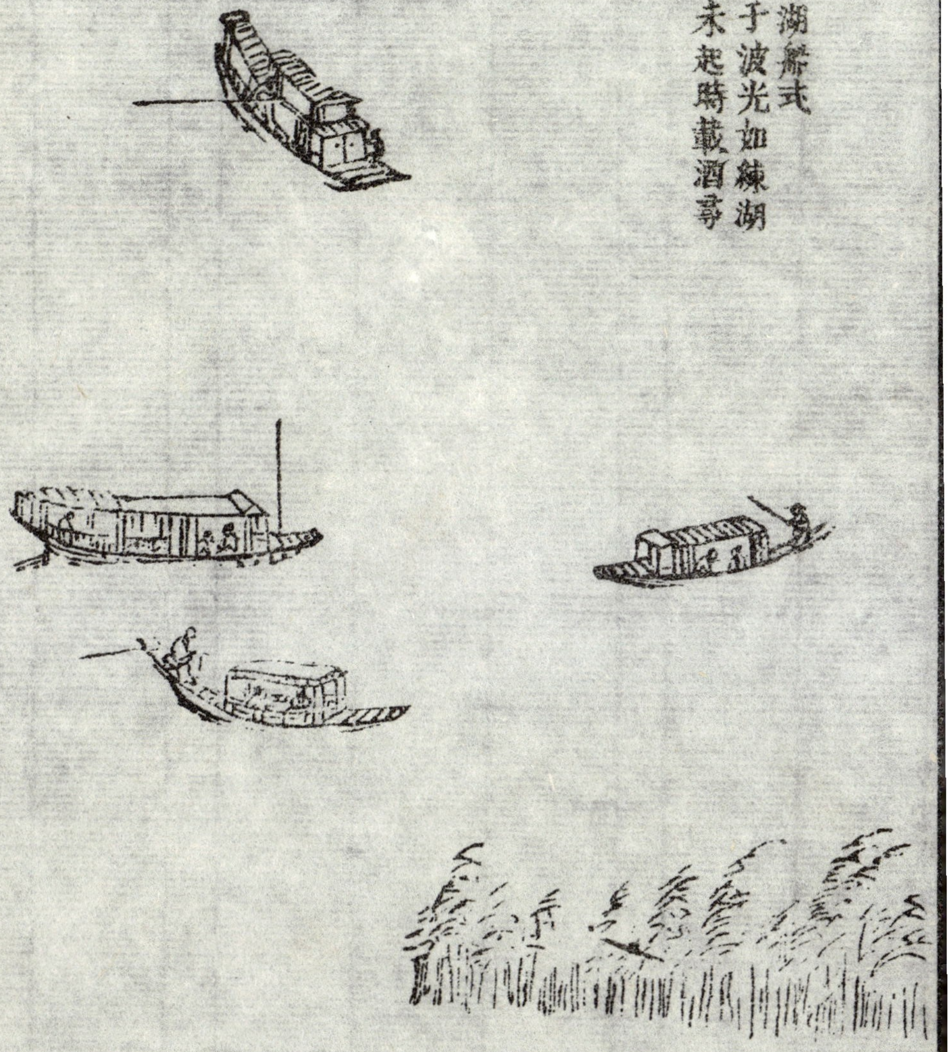

櫓船
宜於月下及蘆荻中使人見之如聞欸乃

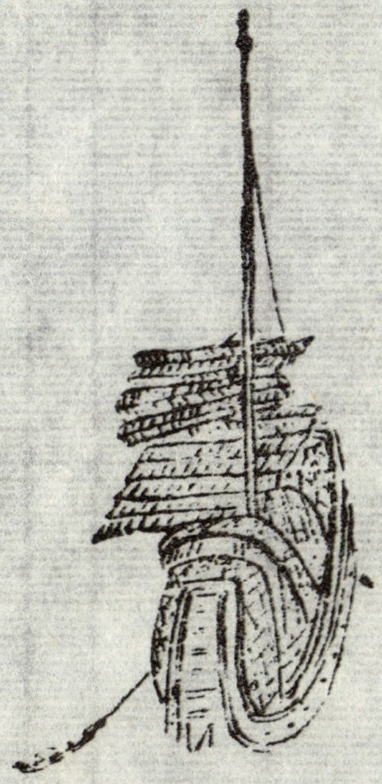

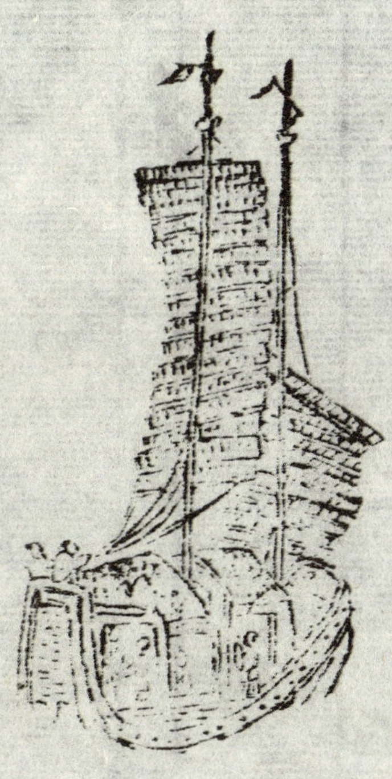

巨艦
宜於江海波濤中揚帆破浪有頃刻千里之勢

大小風帆遠近擇用

撒網船

渡客船

持竿擊楫不必盡露全身于蘆中柳下一爲點綴自有神龍見首不見尾之妙然亦須看所画之地方地方若促全然横亘一舟上下塞滿有何妙處故只宜露首露尾有餘不盡之爲妙也

几席屏榻諸式

既画亭榭安得使之空洞無物必須几席可憑可藉画此等物固不可太工工則俗亦不可太無法無法則蠢儘有山水絕佳居停頗雅而其中一二服御殊不相稱未免白璧微瑕 大凡屋左折則几榻亦宜左折屋右折几榻亦宜右折以側而合側面大而盈尺小而分許其法皆然

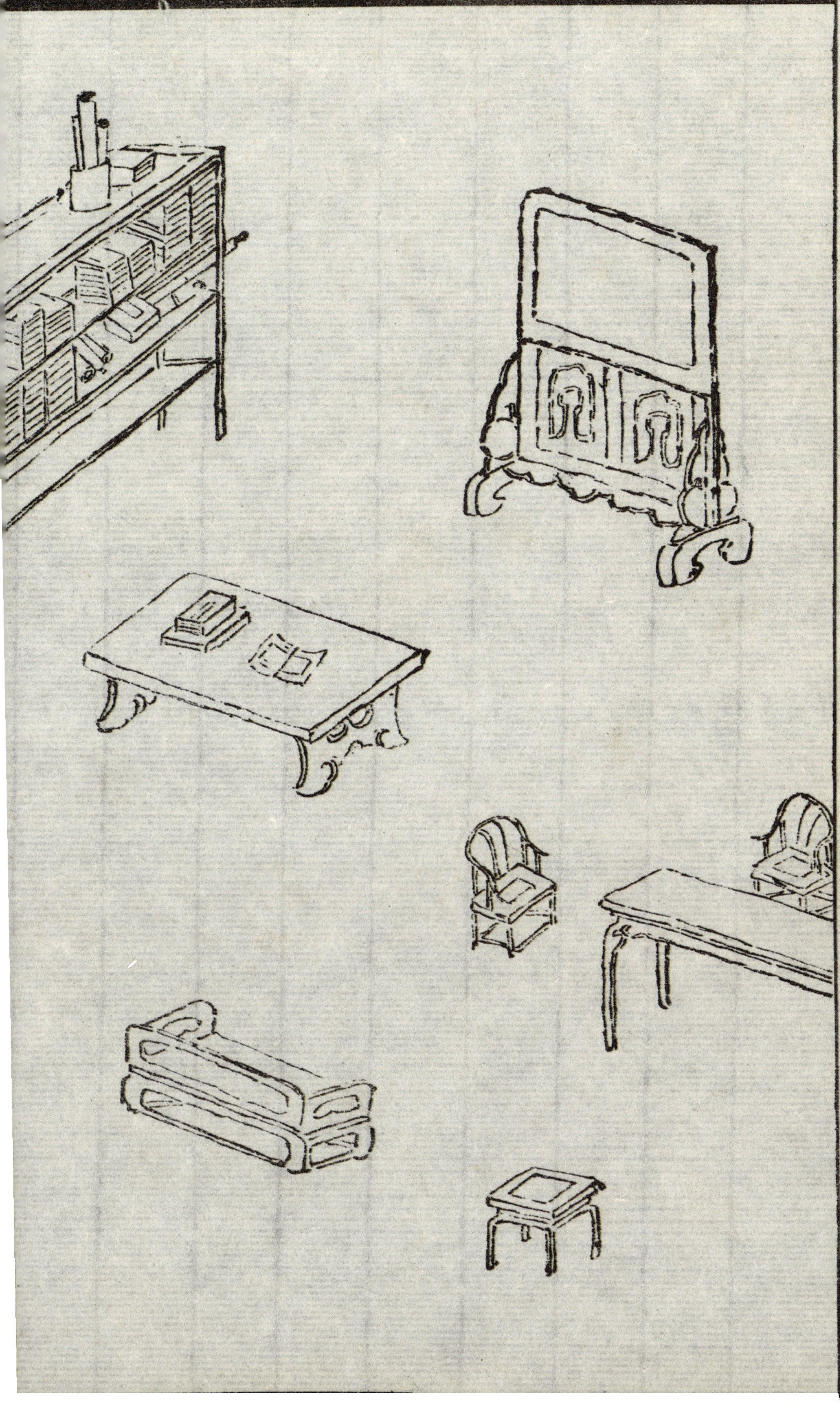

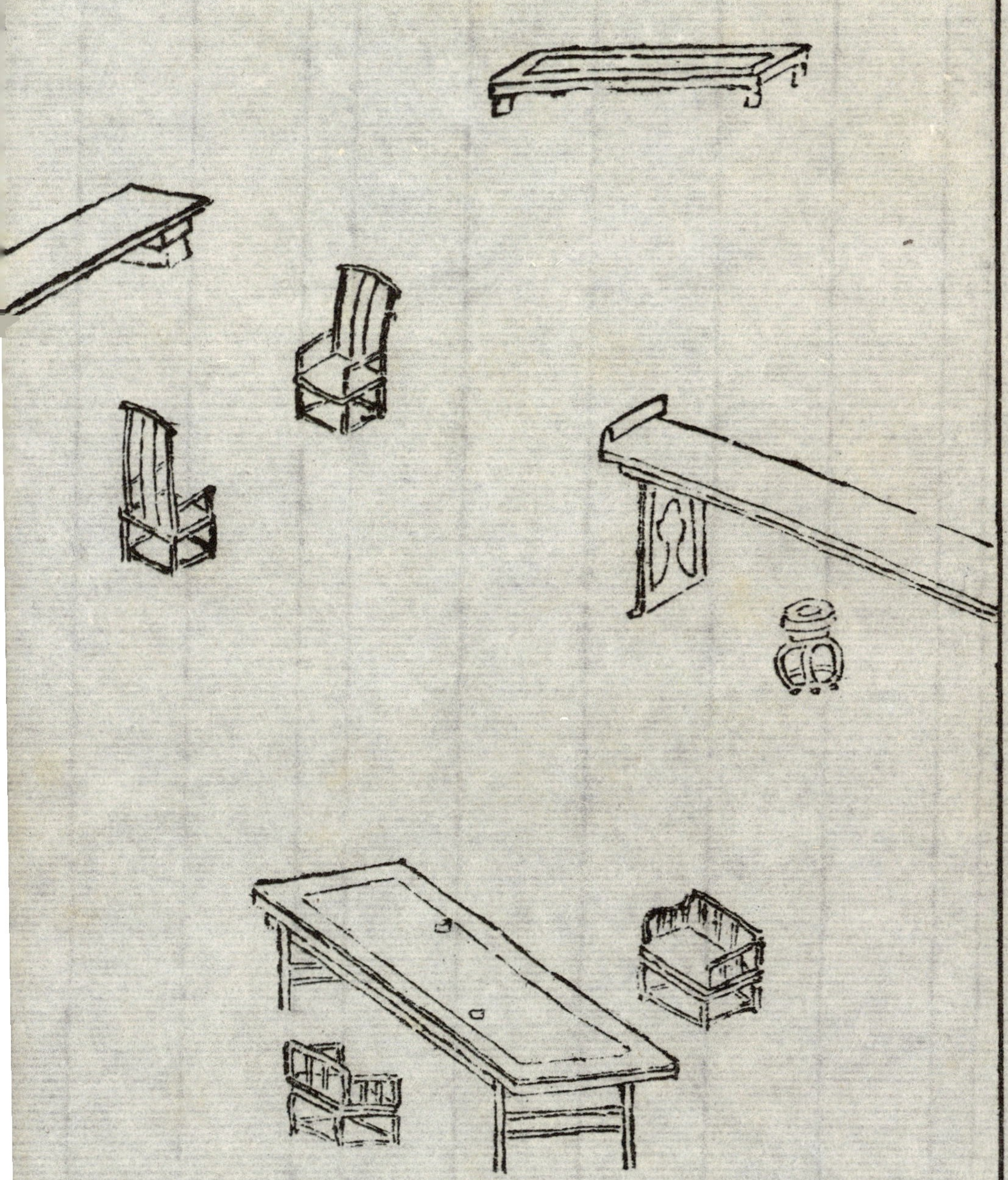